JANINE TEISSON

Au
cinéma Lux

SYROS

tempo+

ISBN : 978-2-74-851538-1
© Éditions La Découverte et Syros, 1998
© 2007, 2014 Éditions SYROS, Sejer,
25, avenue Pierre-de-Coubertin, 75013 Paris

1

C'est un cinéma tout à fait miteux, le cinéma Lux. On pourrait passer devant sans le voir, ou le prendre pour un restaurant chinois avec ses portes peintes en rouge. Monsieur Piot, le propriétaire-caissier-ouvreuse-opérateur, est aussi défraîchi que son «temple du septième art», comme il dit.

Tous les jours de la semaine il passe des films commerciaux, ceux qu'il traite parfois de «sous-films» ou de «films-objets»; mais, le mercredi, c'est le jour de gloire du «vrai cinéma». Monsieur Piot met son nœud papillon. Ses yeux brillent tandis qu'il vous tend votre billet. Il est fébrile, il ronchonne contre les retardataires. Il a hâte de mettre en route l'appareil. Le mercredi, c'est ciné-club. Après des années de pétitions et de résistance héroïque, soutenu par les habitants du quartier, il a pu recréer un cinéma parisien à l'ancienne. Seulement une fois par semaine, mais qu'importe?

Ce jour-là, à dix-huit heures et à vingt et une heures, lorsqu'il passe les grands films qu'il aime, la salle unique est à demi pleine de personnes du troisième ou du quatrième âge qui ont rendez-vous avec leurs souvenirs et de jeunes gens qui viennent accomplir, dans un inconfortable vieux fauteuil de velours cramoisi, un voyage dans le temps.

2

Mercredi 12 février

Ce mercredi, la séance de dix-huit heures avait commencé depuis une vingtaine de minutes lorsque la voix de Natalie Wood a fait «Sszwiiout», l'écran est devenu noir et tout le monde a crié : «Hooo !» *West Side Story* avait des ratés.

La jeune fille assise près de Mathieu a fait «Ho !» comme les autres. Et, comme depuis le début de la séance il ne parvenait pas à se concentrer à cause de son parfum – le même que la dernière fois –, parce qu'il l'avait entendue chantonner les airs de Leonard Bernstein, pour meubler le silence pendant la panne, il lui a dit :

– Mercredi dernier, vous êtes venue voir *Ben-Hur*, n'est-ce pas, mademoiselle?

– Oui.

– J'étais à côté de vous.

– Ah?

– Vous ne m'avez pas reconnu. Moi, j'avoue que c'est surtout votre parfum que j'ai reconnu.

– Il vous gêne?

– Oh non, certainement pas! Mais je n'ai jamais senti un tel mélange de fleurs...

La jeune fille a ri.

– C'est un parfum unique. Et secret. Un mélange que fait ma grand-mère. Elle dit que c'est souverain pour les blondes!

– Elle a raison, votre grand-mère.

Aussitôt elle a pensé : «Mais pourquoi je lui ai répondu, à celui-là? Pourquoi je lui raconte ma vie? Encore un de ces types hypnotisés par mes cheveux blonds, qui va me harceler pendant des heures, me suivre à la sortie, me gâcher le peu de plaisir que... Je vais me les couper, ces cheveux, me raser la tête. De toute façon, quelle importance pour moi? Mère-grand en tombera raide, c'est sûr.»

– Je ne vous fais pas peur, j'espère?

– Non.

Elle était sincère. C'était la première fois depuis longtemps qu'elle parlait presque librement à un homme qu'elle ne connaissait pas.

D'habitude, elle ne répondait pas, elle changeait de place ou elle fuyait. Elle avait peur. Dès qu'ils lui adressaient la parole elle sentait le piège qui se refermait. Leurs discours mielleux, leur fausse gentillesse la dégoûtaient. Mais même celui-ci, dont la voix ne la mettait pas en alerte, comment savoir s'il était inoffensif ou s'il masquait une nervosité de chasseur? Elle avait perdu tous ses repères.

Pourquoi, en cet instant, assise près de cet inconnu, n'avait-elle aucune méfiance? Elle s'en étonnait: «C'est peut-être parce qu'il est plus hypocrite que les autres. J'en ai assez de me méfier. J'en ai assez. Pouce! "Si on t'embête, tu cries, n'hésite pas", c'est ce que dit Mère-grand. Il ne m'embête pas. Pas encore. Je crois que j'aime assez cette voix, j'aime la façon dont il a dit: "Je ne vous fais pas peur?" Je crois que je n'ai pas entendu parler un jeune homme, quelqu'un de mon âge, quelqu'un d'amical, quelqu'un qui n'a pas pitié ou peur de moi, depuis cent ans!»

Puis elle s'est raidie. «Attention, ne te laisse pas aller, ne te fais pas d'illusions.»

Trop tôt au goût de Mathieu, le film a été recollé et, sur son escalier, Maria la belle Portoricaine a repris sa chanson.

À la fin, lorsque les lumières se sont rallumées, en se levant ils ont parlé du prochain film que monsieur Piot avait annoncé: *The Misfits*, ou, en français, *Les Égarés*.

– Vous viendrez?

– Oui, je viendrai. C'est un film que j'ai vu, avant.

Il a pensé: «Comme elle a dit: "avant". Comme ce mot semble chargé de souffrance pour elle! Sa voix tremblait. Vu avant? Avant quoi?»

En sortant, il allait à droite, elle à gauche. Ils se sont dit: «Au revoir, à mercredi prochain.»

Et elle a ajouté: «Rendez-vous au Lux, même heure, même place!» Et il a trouvé cela miraculeux, parce qu'il n'avait pas osé le préciser ainsi. Ils ont ri tous les deux en sentant la pluie glacée.

Il n'imaginait pas quel effort terrible elle avait dû faire pour lancer cette phrase en s'éloignant, avec juste la dose qu'il fallait de désinvolture et de gaieté, alors qu'elle avait l'impression d'avoir hurlé dans la rue un appel au secours. Et à un inconnu. Quelqu'un qu'elle ne retrouverait peut-être jamais.

3

*M*ercredi *19 février*

Mathieu a son billet. Il a cru que monsieur Piot
ne le lâcherait plus. Et le scénario d'Arthur Miller
écrit spécialement pour Marilyn, son ex-femme,
et immédiatement après, la mort de Clark Gable,
et le suicide de cette pauvre Marilyn. Oh! là! là!
D'habitude, il écoute l'encyclopédie vivante du
cinéma avec intérêt, mais aujourd'hui il a pensé
que monsieur Piot était décidément trop bavard
et exagérément sinistre.

Il fait attention à la marche, en entrant. Il frôle
le velours râpeux des sièges. Le paradis est au
troisième rang à partir du fond, septième fauteuil.

Elle y est. Voici son parfum d'abord, puis sa façon de répondre à son bonjour, joyeusement mais avec, au fond, cette tension secrète qui l'émeut.

Ils ont parlé pendant la publicité. Ni elle ni lui ne s'y intéressent. Comme un chien aboyait à la gloire de quelque pâtée en boîte, elle a dit tout à coup :

– Vous savez, j'ai un chien depuis quatre mois maintenant.

– Vous l'aimez ?

Il a posé la question mais savait déjà, à la façon dont elle avait dit cela, qu'elle répondrait oui.

– Avant, je n'aimais pas les chiens. Pas du tout ! Mais lui, c'est autre chose. J'ai peur de trop l'aimer.

– Doit-on avoir peur de trop aimer ?

– Oh oui !

– Moi aussi, j'ai un chien. Il a des problèmes terribles.

– Ah bon ?

– Il se demande s'il ne m'aime pas trop.

Ils ont ri. Elle pense : «Il est rigolo, lui. Moi je suis trop grave, trop vite. Autrefois je me fichais de tout. À présent je me sens si lourde. Tout me blesse.»

Le fait d'arriver la première et d'imaginer pendant trois minutes qu'il avait pu ne pas venir parce qu'il avait oublié leur rendez-vous, ou, pis, parce qu'il savait la vérité et l'évitait volontairement l'avait brisée. Que les gens l'évitent, elle en a pris l'habitude, pourquoi est-elle blessée à l'idée que lui aussi?... Elle ne sait rien de lui. Peut-être va-t-il la décevoir, là, dans une minute.

Elle s'était sentie bien le premier mercredi, à ses côtés. En sécurité, comme avec un frère. Il n'avait pas posé de questions embarrassantes, du style: «Où habitez-vous? Vous vivez chez vos parents?» Il n'avait pas pesé. Mais le danger c'est que, sous sa légèreté de politesse, elle le sent très attentif à ce qu'elle cache. Elle le sent. Elle en a peur. Comment se fait-il qu'il n'ait pas encore posé de questions, les questions qu'ils posent tous? C'est elle qui le questionne:

– Que faites-vous dans la vie les autres jours de la semaine?

– Entre autres occupations, je suis une sorte de pianiste.

– Classique?

– Non, pianiste de jazz. Je joue de temps en temps au Cargo, avec des amis. Si vous voulez venir nous écouter... Et danser même... Ça ne va pas?

Non, ça ne va pas du tout. Elle a mal là, comme un coup de poing dans l'estomac. Ça revient. Elle repense aux concerts, aux fêtes. Jamais plus. Jamais plus elle ne se verra comme un ange blond émergeant de la fumée dorée, ou bleue, dans les miroirs du Rock à Coco. Reine de la danse, reine sous les yeux de... de qui déjà? Comment s'appelait-il, celui dont elle était follement amoureuse à cette époque? Celui qui l'embrassait dans la voiture, et même plus? Bertrand, bien sûr. C'est inutile de faire semblant de l'avoir oublié. Elle n'éprouve plus rien pour lui. Ce qui est arrivé a tout tué. Tout est sec.

– Et vous, mademoiselle, que faites-vous quand vous n'êtes pas assise au troisième rang en partant du fond?

– Je suis étudiante, à la fac de lettres. DEUG d'anglais.

– Et après?

– J'aurais voulu être institutrice...

– C'est merveilleux! Vos élèves auront une sacrée chance!

Elle se tait. «Pour ça oui, ils en auront de la chance. La chance de n'avoir jamais une institutrice comme moi.»

Elle a envie de pleurer.

«Heureusement, pense-t-elle, que j'ai des lunettes, il ne doit rien voir.»

Le film commence. En français, malheureusement. Elle aurait aimé entendre la voix de Marilyn, la vraie. Mais c'est bien, quand même.

Avant que tout le monde se lève pour partir, monsieur Piot a annoncé le prochain film. Un muet. Elle a dit: «Je ne viendrai pas la semaine prochaine, je n'aime pas les films muets.» Il a eu envie de l'embrasser. Lui non plus, bien sûr, il ne viendra pas.

4

« Mère-grand dit qu'elle n'a pas trouvé
le disque de Petrucciani *Cold Blues* au Salon
de musique, mais je suis sûre qu'elle n'a pas
vraiment cherché. Elle a fait semblant pour me
pousser à y aller seule. Je la connais. C'est bien
parce que l'inconnu du cinéma Lux m'a parlé de
piano que je me suis souvenue de cette cassette
que nous écoutions autrefois, dans la voiture...
Les images sont précises. C'est un film qui passe
et repasse et ne vieillira jamais. Je vois sa main
qui fait glisser la cassette, ses ongles carrés
d'"artisane", comme elle disait. Et la musique
tout de suite, comme une eau qui coule, et elle
qui renverse la tête, et dans le rétroviseur son

sourire impalpable, les petites rides au coin de ses yeux.

Là, ça y est, on y est. Pschitt, stop! Voilà la poignée de la porte en forme de disque un peu écrasé. C'est bien ce que m'a décrit Mère-grand. Qu'est-ce qu'elle est lourde, cette porte. Oh! mon Dieu!»

La jeune fille a fait deux pas dans le magasin de musique, puis elle a brusquement fait demi-tour. Elle se cogne dans une personne qui entrait, jaillit dehors en entraînant son chien, repart en sens inverse au pas de course.

Venant du fond du magasin, elle a entendu la voix du jeune homme. Il disait : «La musique des *Misfits* est d'Alex North. Tu crois qu'il a fait quelque chose d'écoutable en dehors de ça? Tu le...» Et il s'est arrêté. Il a dû la voir. Elle court. Elle ne veut pas. Non! Qu'il ne la suive pas! S'il court derrière elle et la rattrape, elle lui dira... Qu'est-ce qu'elle lui dira? Des horreurs. Des horreurs qui le feront fuir. Et elle n'ira plus au cinéma Lux. Mais personne ne la suit. Pschitt ralentit.

5

« Quinze jours sans cinéma Lux. Quinze jours sans elle. Elle a dit qu'elle habitait le quartier. Elle doit être à la fac dans la journée.

L'autre jour, jeudi, dans le magasin de musique, une personne est entrée qui avait son parfum. Mais ce n'était pas elle. Elle m'aurait reconnu. Pourtant, ce parfum... Je suis à peine sorti le vendredi, le samedi, le dimanche. Peur de la rencontrer. Pollux s'en est plaint.

Pourquoi chercher à l'éviter? Les choses ne vont pas pouvoir durer comme cela encore longtemps. Pourquoi ai-je eu la tentation, auprès d'elle, de cacher la vérité? Ça ne m'était jamais venu à l'idée. Jamais. Et près d'elle tout à coup j'ai voulu, comme elle ne se rendait compte de rien, j'ai voulu faire comme si j'étais comme les autres. La tentation a soudain été si forte. Je n'ai même pas pu m'en défendre.

Moi qui croyais, depuis mon enfance, avoir si bien accepté. Tout le monde me félicite. Je suis tellement gai toujours, n'est-ce pas? Plus gai que beaucoup, plus entreprenant. C'est incroyable ce que j'ai l'air heureux. J'en donne des complexes aux autres. Ce sont mes copains musiciens qui le disent. Et pourtant...»

6

« Je suis folle. Rencontrer à nouveau ce garçon, c'est vraiment aller tout droit à la catastrophe. Ça ne peut se terminer que mal. Mal pour moi. Je le sais. Et pourtant je ne souhaite que ça. Je suis folle, c'est sûr. Je ne connais même pas son nom et je crève parce que je n'ai pas entendu sa voix depuis quinze jours. "Je n'aime pas les films muets"! Ah, c'est malin!

Qu'importe un film muet, ou pas de film du tout, même, pourvu que je sois assise près de lui. J'ai peur qu'il soit perdu. Enfin, perdu pour moi. Mais peut-être est-ce aussi bien comme ça? Ce serait si terrible s'il était moins bien que je ne le pense. Deux brèves rencontres dans un cinéma, on ne peut pas dire que ça suffise pour analyser la personnalité de quelqu'un! Je n'ai que des impressions sur lui. De bonnes impressions, d'accord, mais...

Mère-grand me trouve terriblement nerveuse. Depuis qu'elle a déménagé dans l'appartement d'à côté, elle n'est jamais autant venue me rendre visite, il me semble. Elle n'arrête pas de me dire : "Mais qu'est-ce que tu as, ma toute belle ?" Et je ne dis rien. Il n'y a rien à dire. J'écoute *Cold Blues* qu'elle m'a finalement trouvé, et je caresse Pschitt. Dehors il pleut. Tiens! la voilà qui tape ses trois petits coups.»

– Entre, Mère-grand!

«Quand j'étais petite et que j'ai commencé à l'appeler "Mère-grand", elle n'était pas très contente. Elle m'avait lu *Le Petit Chaperon rouge*. Je lui faisais des bisous en lui disant à l'oreille : "Mère-grand, comme vous avez de grandes dents!" Ça l'énervait! Mais à l'hôpital, quand je suis sortie du coma, ce sont les premiers mots que j'ai dits, il paraît : "Mère-grand". Elle était là, elle me veillait depuis dix jours, alors...»

– Alors ma chérie ? Tu écoutes encore

Petrucciani? Tu n'es pas déprimée? Veux-tu que nous fassions une petite partie de dominos?

« Depuis que j'ai appris à jouer aux dominos, nous faisons une "petite partie" presque chaque soir. Un soir, Mère-grand a dit : "Quand tu seras fiancée ou mariée, tu viendras quand même faire une petite partie avec moi de temps en temps?" Et j'ai fondu en larmes.

Elle m'a dit :

– Je sais pour quelles raisons tu pleures, mais c'est idiot, crois-moi, je ne connais aucune jeune fille dans ton cas qui ne soit devenue une bonne mère de famille.

– Oh! arrête, Mère-grand, tu dis des bêtises, tu ne connais que moi dans mon cas!

– Statisti...

– Oui, je sais, statistiquement, je devrais être heureuse et courtisée, et ne pas jouer aux dominos avec ma grand-mère. J'en ai marre de tes statistiques à la noix!

– Tu es belle quand tu es en colère.

– Mets-moi dans un cirque!

– Pas question!

Et elle a ri. Elle m'enveloppe de rire comme on enveloppe les bébés dans les serviettes-éponges douces. Après tout ce qu'elle a vécu, tout ce qu'elle a perdu, elle ne se plaint pas. Elle invente toujours quelque chose pour m'occuper, me faire évoluer, comme elle dit. "Évoluer", c'est un mot qu'elle adore.

C'est elle qui m'y a emmenée, les premières fois, au cinéma Lux. C'est elle qui déplace sans arrêt ma guitare dans l'appartement pour que, de temps en temps, je la cogne et que j'entende "Poing!", parce qu'elle espère que je vais rejouer. Ça, jamais. C'est fini.

Mère-grand aime quand je la rabroue. Chaque fois que je sortais, elle me disait : "Tu as bien ta carte de téléphone au moins ?"

Un jour je lui ai dit : "Tu pourrais t'occuper de tes affaires, s'il te plaît ?" Elle a bien ri et elle m'a embrassée. »

7

*M*ercredi 5 mars

— Marilyn va nous apprendre comment épouser un millionnaire. J'espère que vous ne le ferez jamais.

— Quoi?

— Épouser un millionnaire.

— Oh! ça, pas de danger!

— Vous êtes gaie.

«Bien sûr que je suis gaie. La situation me paraît comique tout à coup. Tout me paraît léger. Et puis, décidément, j'adore sa voix. Nous sommes arrivés en même temps. Je payais mon billet, je disais à monsieur Piot que j'aimais les films américains en version originale parce que j'avais vécu quatre ans aux États-Unis avec mes parents.

Il était derrière moi. Il a posé sa main sur mon épaule. Je savais que c'était lui. Bonsoir. Bonsoir. Il a payé sa place, nous sommes entrés ensemble. J'ai trébuché sur cette saleté de marche. Il m'a retenue. Il a compté, comme je le fais, les trois rangs et les sept fauteuils. »

Quand ils ont été assis, il a dit d'un ton théâtral :

— Ces quatorze jours sans vous, quelle traversée du désert !

Comme toujours elle a failli en dire trop :

— Oui, c'était interminable.

Elle s'est rattrapée et a ajouté en riant :

— J'ai presque failli venir voir Schwarzenegger dans l'espoir que vous seriez au septième fauteuil !

— Vous ne l'avez pas fait, j'espère.

— Non, pourquoi ?

— Parce que je n'y étais pas.

Il y a des silences. Il la regarde, bien sûr.

— Je m'appelle Mathieu. Et vous ?

— Marine.

— Quelle merveille !

– Quoi?

– Marine, c'est un prénom plein d'aventures...

– Bof!

– Vous êtes très jeune, Marine, n'est-ce pas?

– Non, pas tellement, j'ai presque dix-neuf ans.

– Ça, c'est formidable! Je voulais tellement que vous ayez dix-huit ans, ou vingt-deux à la rigueur. J'aurais été si déçu si vous aviez eu sept ans et demi ou quarante-neuf ans!

– Vous êtes un peu fou! Vous parlez comme... Boris Vian.

Il rit.

– Boris Vian? Ça alors!

– Vous avez lu *L'Écume des jours*?

– Je connais très bien Chloé et Colin, et même la petite souris, ce sont des amis.

Elle soupire:

– C'est drôle, j'ai l'impression de rajeunir tout à coup.

– Oh non! s'il vous plaît, ne rajeunissez pas! Au fait, vous ne me trouvez pas trop vieux pour mon âge?

– Quel âge avez-vous?

«Tiens, sa voix est changée. Elle a peur de quelque chose. J'ai déjà remarqué que soudain sa voix peut être tout autre. C'est ce qu'on doit appeler une voix blanche. Une voix sans élan. La voix de quelqu'un sur ses gardes.»

– J'ai presque vingt-trois ans. Je vous parais trop vieux? Trop jeune?

– Oh non! non, pas du tout. Vous êtes très bien. Vraiment bien.

– Marine.

– Oui?

– Vous avez un joli accent.

– J'ai vécu dix ans à Nîmes. De temps en temps l'accent me revient.

Elle n'a pas dit: «de temps en temps, quand je suis heureuse». Elle s'est retenue.

– Vous aussi vous avez un accent, non?

– Je suis belge. Ça doit vous surprendre, avec mon physique. Certains me prennent pour un Arabe. Les Espagnols ont envahi la Belgique autrefois, alors ça ressort, comme votre accent. Une blonde du Midi, un brun du Nord, c'est drôle, non?

«J'aime que tu sois brun», pense-t-elle.

– Moi, j'ai passé mes dix premières années au fond de la brousse, au Congo.

– Ah oui? C'était comment?

– Le film commence, je vous raconterai ça un autre jour.

Elle aime aussi qu'ils se soient vouvoyés pendant trois séances, mais maintenant elle a envie de lui dire «tu».

Pendant le film, elle a ri. Il s'est penché vers elle pour lui parler:

– Vous avez de la chance de comprendre l'américain dans toutes ses nuances. Moi, de temps en temps, je perds pied, j'ai l'impression d'entendre une famille de canards.

À la sortie, monsieur Piot les a arrêtés.

– Hep! les jeunes! Mathieu, mademoiselle Merle, ça vous a plu?

Mathieu a senti qu'elle se raidissait. En continuant à marcher, en la tenant par le coude, il a dit:

– C'était extraordinaire, monsieur Piot, vraiment extraordinaire! Super! Super!

Et ils se sont retrouvés sur le trottoir.

– Ouf! Bien joué!

– Vous connaissez monsieur Piot?

– Bien sûr, c'est un copain d'école de ma grand-mère. Il est merveilleux, non ?

– Merveilleux, oui, mais aussi collant que le sparadrap du capitaine Haddock.

– C'est tellement marrant la façon dont il annonce le film de la semaine suivante ! C'est toujours un chef-d'œuvre, un bijou, un tournant de l'histoire du cinéma, un fleuron...

– Une pierre blanche ! Je me souviens du jour où il a présenté *La Fureur de vivre*. Je ne sais pas ce qui lui a pris, il a commencé à nous raconter tout le film. Il nous décrivait la mère acariâtre du héros et son père en tablier, complètement tyrannisé, et l'injustice des flics, et les voitures fonçant vers le précipice, et James Dean dans son jean et son blouson noir, et tout à coup quelqu'un a crié : «Laisse-nous voir le film ! Le film ! Le film !» et tout le monde a éclaté de rire. Les uns disaient : «Laissez-le raconter !», les autres criaient pour qu'il arrête. J'étais mort de rire.

– C'est vraiment un fou du cinéma. Au fait, *Johnny Guitare*, le film de la semaine prochaine, c'est moi qui lui en ai parlé, il y a six mois. Il n'a pas oublié.

– Tu aimes les westerns?

Il l'a tutoyée le premier. Surprise, elle n'a pas retenu sa réponse :

– Ma mère chantait : «Ta seule amie, c'est ta guitare, ô Johnny, n'écoute pas, une autre voix que celle-là. Laisse-la, consoler ton cœur blessé...» Elle riait et elle disait toujours : «Qu'est-ce qu'elle est tarte, cette chanson !»

À l'entendre chanter, il a des frissons. Parce qu'il a senti son souffle sur sa joue et parce que ce chant, ce simple chant dont il n'a pas vraiment écouté les paroles, lui révèle quelque chose d'elle qui le bouleverse. Une force, une douceur, une énergie de vivre contenue, il ne sait.

La voix de Marine s'est étranglée à la fin. Elle a eu l'impression que Mathieu était sur le point de commencer une phrase, mais il s'est tu. Puis :

– Tu vas voir, mercredi prochain, en commençant la séance, monsieur Piot dira : «Mademoiselle est servie.»

– Tu le connais bien. Bon, au revoir Mathieu, à la semaine prochaine.

– Au revoir, Marine.

8

*M*ercredi 12 mars

Ils sont arrivés en avance, tous les deux. Indifférents aux rares spectateurs qui font claquer leur siège, ils chuchotent. Il était là avant elle. Quand elle est arrivée, il a dit :

– Bonjour, Marine. Tu as bien toujours les cheveux blonds, un chien, une grand-mère et presque dix-neuf ans ?

– Oui, j'ai tout ça, et en plus, dans quatre jours, j'aurai vraiment dix-neuf ans.

– Tu vas fêter ça ?

– Non. Heu... oui, je pense que ma grand-mère me fera une surprise.

Elle aurait voulu ajouter : «J'en ai rien à foutre de ses surprises ! Ce n'est pas ça que je veux !» C'était ce qu'elle avait hurlé à son dernier anniversaire. Mère-grand avait observé une minute de silence, puis de son incassable petite voix avait répondu : «Je ne peux pas te donner ce qui te manque, Marine, personne ne le peut. Mais ne gâche pas ce que tu as.»

— Et si moi aussi je t'en faisais une de surprise ?

Elle a envie de lui dire : «Rien que le fait que tu sois là, que tu restes à mes côtés, amical, et que je n'aie pas peur de toi, même quand tu t'approches, c'est déjà une surprise...»

— C'est vrai qu'il y a des couleurs qui vont particulièrement bien aux blondes ?

— Oui, les bleus, les mauves, les rouille. C'est ce que dit ma grand-mère quand nous faisons les courses.

— Tu fais les courses avec ta grand-mère ?

— Un peu moins maintenant.

Elle met sa main sur sa bouche. Elle n'aurait pas dû dire cela.

– Tu es grande maintenant, tu peux traverser la rue seule!

«Ah! c'est vraiment fin d'avoir dit ça! Vraiment! Ça ne la fait pas rire. Pourquoi?» Elle ne dit rien. Peut-être l'a-t-il blessée?

– Excuse-moi, ta grand-mère est peut-être souffrante?

– Oh! non, elle va très bien. Si... si vous avez encore de l'amitié pour moi, plus tard, je vous la présenterai. Elle est tellement drôle et fine!

– Tu me revouvoies?

Elle sursaute.

– Je n'ai pas encore l'habitude...

– Et pourquoi pourrais-je ne plus avoir d'amitié pour toi?

Elle se trouble.

– Oh! comme ça, quand tu me connaîtras un peu mieux.

– Tu es terrible, j'en suis sûr. Cannibale! Idolâtre! Lotophage! Sadomase! Miam miam!

Elle rit, lui prend le bras et le secoue.

– Arrête, arrête, tout le monde va t'entendre!

– Non, ne t'inquiète pas, ils sont tous sourds, ils ne viennent que pour les images.

– Oh!

Il n'a pas entendu son exclamation. Le film commence.

9

«Serrer son bras, sentir ses muscles sous son pull, c'était tellement... extraordinaire. Je voudrais recommencer. Mais sous quel prétexte? "S'il te plaît, prête-moi ton bras que je le serre..." Je suis folle. C'est sûr. Ça fait deux ans que je ne connais pas d'autre main que celle de ma grand-mère, personne d'autre qu'elle, et tout à coup... Attention Marine! Attention, calme-toi!»

Sur l'écran, la foule veut lyncher Joan Crawford, Mathieu murmure contre la joue de Marine: «J'ai peur!» Elle sourit mais n'ose pas répondre.

Pas une minute, tandis que le film défile, il ne pense à autre chose qu'à elle. Lorsqu'elle tourne la tête, ses cheveux font un léger bruit sur le velours. Une envie de toucher son visage l'envahit, forte, presque douloureuse. Passer ses mains sur son visage, savoir ses joues...

Non. Il ne doit pas. Que dit Johnny Guitare ? Pas grand-chose d'intéressant. Il s'en fout. Il entend la respiration de Marine qui s'accélère. Pourquoi ? Il ne se passe rien de particulièrement triste sur l'écran. Ah ! c'est vrai, la chanson...

Ils sont sur le trottoir, devant le cinéma Lux. Des passants les bousculent, mais ils ne s'en rendent pas compte.

– Tu disais mercredi dernier que ta mère chantait la chanson du film ?

Elle répond dans un souffle :

– Oui.

– Tes parents...

– Ils sont morts.

Il a dû s'approcher tout près pour entendre.

Elle vient de le dire à quelqu'un pour la première fois. Elle n'a pas eu une seconde d'hésitation. Elle en est stupéfaite. Elle ressent à la fois un grand soulagement et l'impression terrible de les avoir trahis. Elle n'a pas retenu les mots. Elle l'a dit. Elle n'a plus résisté. Le dire, c'est accepter qu'ils soient morts. Les rejeter. Lâcher leurs mains. Les laisser partir au loin. Partir d'elle. Elle en tremble.

Il entend ses dents claquer. Il la prend dans ses bras très lentement. Il la garde contre lui, sans la serrer, la cache dans les pans de son manteau. Les gens passent, parlent autour d'eux. Elle se calme.

– Ça va mieux?

– Oui. Je vais rentrer. Ma grand-mère risque de s'inquiéter.

Il sourit.

– Tu as entendu le titre du prochain film?

Elle ne répond pas et s'éloigne. Il a peur. Pourquoi lui avoir posé cette question? Et sur ce ton-là, après ce qu'elle vient de lui dire? Il crie:

– Marine, tu viendras?

– Bien sûr.

Tourné dans sa direction, parmi tous les autres, il entend le bruit de son pas décroître. Un pas étrangement peu sûr.

10

*M*ercredi 19 mars

– Aujourd'hui j'ai la joie et l'honneur de vous présenter la première grande réussite de Louis Malle, un film paru en 1958, dont il a écrit le scénario avec la grande Louise de Vilmorin.

– Qui c'est?

– Une femme écrivain, poétesse je crois.

– Ce film est un véritable chef-d'œuvre de finesse. Vous verrez avec quel art, inégalé depuis, sont traitées les scènes érotiques. Vous apprécierez le regard satirique de l'auteur, car il s'agit d'un film d'auteur, mesdames, messieurs, d'une authentique œuvre d'art!

– Ah! Il l'a dit!

– *Les Amants,* un film subtil, un film...

Ils n'écoutent plus.

– En fait, j'avais demandé à monsieur Piot de nous passer *Ascenseur pour l'échafaud,* de Louis Malle, mais il n'a pas pu l'avoir...

– Pourquoi ce film-là?

– Pour la musique. Tu connais?

– Non.

– C'est Miles Davis. C'est fabuleux, je te ferai écouter le disque...

En disant cela, Mathieu sort un paquet de sa poche.

– Bon anniversaire, Marine!

– Mais... tu es fou?

– Mais non, tiens, prends, c'est une surprise. Ouvre-le avant que les lumières s'éteignent.

Il lui met le paquet dans les mains. Elle hésite. «Je ne dois pas accepter. Je ne dois pas. Tout ça est un énorme malentendu. J'aurais dû lui dire tout de suite la vérité.»

Et puis elle a un sursaut de révolte. «Pourquoi faudrait-il que je renonce à tout? C'est injuste à la fin. J'en ai assez de toujours refuser, tant pis, je me fiche de la suite. Il pensera ce qu'il voudra. Après tout, c'est lui... Je ne lui ai rien demandé.»

Elle déchire le papier, ouvre le carton glacé. C'est doux, très doux, ça fuit sous ses doigts, léger, si léger. Un foulard de soie.

– C'est tellement doux!

– Et la couleur, elle te plaît?

– Oh! oui, beaucoup!

Elle éprouve la même joie qu'elle avait, enfant, lorsqu'on lui faisait un cadeau à l'improviste. Une joie sans arrière-pensée. Elle avance son visage pour l'embrasser. Leurs lunettes se heurtent.

– Aïe!

Ils se reculent tous les deux et ils rient.

– Mes lunettes ne t'ont jamais étonnée?

– Non, et les miennes?

Les gens ont fait: «Chut!» Monsieur Piot raconte toujours la vie de Louis Malle. Elle lui prend la main.

– Merci. C'est incroyable que vous... que tu aies pensé...

– Je n'ai fait que ça cette semaine, sans me

vanter! Voyons, voyons, quel présent offrirai-je à la princesse du grand Lux? Pas de parfum, le sien lui va si bien. Quelque chose de doux, de très très doux... et des couleurs qui lui plaisent.

Elle lui embrasse la main doucement et l'abandonne. Il retient son souffle.

– Je ne pouvais même pas demander conseil à ma sœur, elle aurait posé tellement de questions!

– Tu as une sœur? Quelle chance!

– C'est toi qui le dis! Sophie a dix-sept ans, mais c'est une vieille marieuse.

– Quoi?

– Elle essaie de me marier. Elle m'affiche, elle me brade, c'est terrible. Quand elle vient me voir, je dois vérifier qu'elle n'a pas accroché une étiquette à ma veste: «À vendre, occasion, presque neuf.»

– Et ça marche?

– Ce sont des mariages extrêmement fugaces. Elle n'est pas douée.

Marine est troublée. Et lui pense: «Pourquoi suis-je allé lui raconter des trucs pareils? Et pourquoi est-elle si silencieuse? Mon Dieu! que les choses deviennent compliquées. Je me demande comment je vais me sortir de tout ça. Je ne voudrais pas la blesser, ni me blesser, mais comment faire?»

«Bien sûr qu'il doit plaire aux filles, pense-t-elle, il est si gai, si doux aussi, tellement délicat. Trop de qualités. Je dois fuir avant d'être trop... trop quoi? Je le suis déjà pas mal, malheureusement. Oh! là! là! Mère-grand, le méchant loup de l'amour est en train de croquer toute vive ta petite-fille. Je devrais courir et je reste là. Quelle catastrophe!»

Sur l'accoudoir leurs bras se touchent, elle retire le sien. Il voudrait lui dire «non», mais, dans le mouvement qu'elle a en mettant le foulard sur ses épaules, la soie frôle la joue de Mathieu. Un baiser de papillon. Le film commence.

Dès le début, chacun a pensé: «Ce film ne me plaît pas.»

Elle avait imaginé tout autre chose. Cette histoire de femme qui trompe son mari, la voix de play-boy de l'amant, tout l'énerve. Son esprit vagabonde. Elle a comme une gêne à assister à un adultère, là, à ses côtés, et en même temps elle pense : «Tu deviens bien puritaine, ma fille!», tout en essayant de s'intéresser aux paroles de femme riche et oisive de Jeanne Moreau.

Lui pense : «En plus les dialogues sont faux, on dirait du mauvais théâtre. Et cette horrible musique de Brahms! Ce serait un supplice s'il n'y avait pas ce parfum, et les petits bruits de la soie, de ma soie, contre son cou... Mathieu, mon ami, tu es prêt à subir n'importe quoi pour rester assis une heure et demie à ses côtés. Tu es mal parti, je te le dis!»

Et puis, tout à coup, le ton du film a changé. Le jeune Bernard Dubois-Lambert est arrivé. Une voix, une présence, un discours vrai au milieu de tous ces gens superficiels qui ne pensaient qu'à «ne pas détonner», des rires.

Marine et Mathieu se décontractent. Marine a ri quand le mari a demandé à la futile Maggy : «Seriez-vous capable de détonation?»

Mathieu se penche vers elle et lui dit :

– J'aime bien les voix *off*, pas toi?

– Oui, c'est bien, on a l'impression que quelqu'un nous lit un livre.

La voix *off* dit : «Elle eut soudain envie d'être quelqu'un d'autre.»

Et Marine pense : «Oh oui! être quelqu'un d'autre, ne pas porter ce poids qui me tue. Être quelqu'un d'autre et prendre sa main, l'embrasser dans la paume et la poser sur mon cou...» Mathieu entend le soupir de Marine. Elle porte sa main à sa gorge et la laisse sur la soie.

La voix *off* dit : «L'amour peut naître d'un regard.»

Et Mathieu pense : «L'amour n'a même pas besoin d'un regard pour naître. Madame la poétesse, vous ne savez pas tout...»

Marine pense : «Aimer quelqu'un, c'est facile. Mais quand on ne peut pas être aimé?» Et sa gorge se noue.

La voix *off* dit : «On ne résiste pas au bonheur.»

Et Marine serre les poings en pensant : «Le bonheur? Quel bonheur? Où il est le bonheur? Qu'est-ce que c'est le bonheur? Comme si c'était toujours le bonheur, d'aimer quelqu'un! Ce film est complètement idiot. Cette Louise de Vilmorin, elle me déçoit.»

Mathieu pense : « Oui, peut-être qu'il ne faut jamais résister au bonheur, même si, en fin de compte, il est mille fois plus petit qu'on ne l'aurait désiré. »

Si les circonstances étaient « normales », il aurait déjà fait plein de plaisanteries tout bas sur les dialogues, les situations, et Marine aurait ri, mais il n'ose pas.

Les amants sont dans la barque. L'amant dit : « Jeanne » et l'amante répond : « Oui, je sais. » Puis elle dit : « Bernard » et il répond : « Oui, je sais », et Marine, tout en pensant que les dialogues sont débiles, a envie de pleurer. Elle pense que tout aurait pu être facile, si...

Mathieu entend tousser Marine. Il n'ose pas prendre sa main.

« Je ne peux pas faire un geste vers elle tant que je n'ai pas dit la vérité, pense-t-il. Je ne peux pas lui faire cette mauvaise surprise après... Mais qu'est-ce que j'attends ? Je n'ai qu'à le lui dire là, tout simplement, et si elle se lève et s'en va, eh bien, tant pis, je ferai pareil, j'échapperai à cette musique sirupeuse et... et non, pas encore.

Quand elle bouge comme ça, son parfum est une merveille...»

Ils ne se sont pas attardés devant le cinéma, malgré la douceur du soir. Ils se sont fait la bise, sans bruit de lunettes.

Elle ne lui a pas redit merci pour le foulard.

Il marche à pas rapides. Il connaît le chemin par cœur. Il habite à cent mètres du cinéma.

«Elle ne reviendra pas, pense-t-il, j'en suis sûr. Elle se méfie de moi. Je lui ai fait peur avec mon cadeau. J'en fais trop, sûrement, ou pas assez, ou bien elle a compris... Et elle n'ose pas m'en parler. Jamais personne ne m'a manqué à ce point. Dès qu'elle s'éloigne d'un mètre, je l'attends. Si elle devait ne plus jamais revenir...»

À imaginer cela, il se sent perdu. Perdu comme il l'avait été dans le noir, enfant. Perdu si désespérément. Un sentiment oppressant depuis longtemps oublié. «Arrête, se dit-il, arrête, tu es complètement fou, les histoires d'amour entre une princesse blonde et un type comme moi, même dans les films, ça n'existe pas... Ou alors, c'est tout à fait exceptionnel...»

Elle marche lentement, précautionneusement. Elle a compté deux cent trente-deux pas du cinéma Lux à l'entrée de son immeuble.

«Je ne reviendrai pas, pense-t-elle. C'est trop difficile. J'avais trop envie de poser ma tête sur son épaule. Trop envie de tout. Quand Jeanne Moreau disait : "J'ai envie de t'embrasser", j'ai failli me tourner vers lui et lui dire... Quoi ? Que moi aussi, j'avais envie de l'embrasser ? Moi ? Et de quel droit ? Mendier ? Ça, non, je ne le ferai pas. J'avais l'impression que j'allais m'évanouir. Je n'ai plus droit à tout ça. Je dois me le mettre dans la tête. Je me demande pourquoi je suis sortie de chez moi. Encore une bonne idée de Mère-grand ! Sortir pour souffrir un peu plus ? Je me demande même pourquoi je suis vivante. Pour ça ? Pour crever, immobile, muette, sans pouvoir atteindre ce qui me fait le plus envie ?»

11

*M*ercredi 26 mars

– On a bien fait de venir en avance, tu vois, je te le disais, la salle va être presque remplie aujourd'hui.

– C'est fou, *La Strada* est passée je ne sais pas combien de fois à la télé et pourtant les gens viennent encore voir ce film au cinéma.

– Ça n'a rien à voir. C'est...

– J'aime cette musique. Écoute.

– C'est *Time further out* du Dave Brubeck Quartet. C'est Dave Brubeck au piano. Tu entends cette énergie, cette souplesse ! Après ce sera tout autre chose, tu vas entendre *The Cascades* de Scott Joplin, interprété par ton serviteur lui-même.

– Non, c'est pas vrai. Tu... Comment tu as fait?

– Comme d'habitude, j'ai appuyé sur les touches avec mes doigts. Non, je plaisante. C'est simple, c'est moi qui enregistre les bandes musicales d'attente, pour monsieur Piot. Je lui en fais une nouvelle tous les trois mois. Pour m'amuser, j'enregistre chaque fois un ou deux morceaux que je joue. Personne ne s'en rend compte et moi, ça m'aide de m'entendre dans une grande salle... Attention, ça commence. C'est du ragtime, je ne sais pas si...

Elle écoute les notes rieuses, rapides, elle imagine ses mains agiles sur les touches. Mains brunes qui virevoltent sur l'ivoire. Cette musique vient de lui. Elle la prend comme un autre cadeau. Elle n'a jamais écouté ainsi. On ne peut pas dire qu'elle écoute, non, elle se laisse envahir par la musique. Elle pense soudain : «J'écoute son être.» Et elle sourit en songeant que ça n'a pas trop de sens, mais que c'est bien ce qu'elle ressent.

– En fait, maintenant je joue ça tout à fait autrement... Tu aimes?

Elle cherche ses mots.

– C'est formidable. Tu es... un vrai pianiste, alors!

– Bien sûr, qu'est-ce que tu croyais?

– Tu... pourrais me passer une cassette où il n'y aurait que... toi?

– Bien sûr, mais je t'avertis, c'est un peu n'importe quoi, il y a des morceaux pris au Cargo, où je joue avec mes collègues, des morceaux enregistrés en solo dans le petit studio du Salon de musique, il y a du presque classique, du rag comme ce que tu viens d'entendre, du Gershwin, des improvisations et même du disco! Tu n'aimes peut-être pas les mélanges?

– Mais si, je les aime! Tu entends ça?

– C'est Sarah Vaughan. Elle chante *Porgy and Bess*.

– Cette voix...

– C'est superbe, hein? Tu aimes chanter, Marine?

Elle se rapproche et parle plus bas, près de son oreille. Il sourit parce qu'il pense à sa sœur, qui voulait toujours lui dire des secrets quand elle était petite.

– Tu sais, aux États-Unis, mes parents avaient acheté plein de disques de chanteuses de jazz. Je les écoute souvent. Je connais certaines chansons par cœur.

– Laquelle chantes-tu le plus?

– Qui t'a dit que je chantais, d'abord? (Elle rit.) Mais c'est vrai, tu as raison, je chante. Celle que je préfère c'est... *Misty* par...

– Par Ella Fitzgerald?

– Oui.

Il soupire. Il la connaît cette chanson. Il la connaît très bien. *«Look to me, look to me.»* Marine n'a pas remarqué sa tristesse. Pourtant, son cœur est écrasé, lentement, lentement, par un poing terrible.

– C'est drôle, ces temps-ci je ne fais que penser que j'aimerais apprendre à chanter.

– Chanter quoi?

– Chanter le blues, le jazz, je ne sais pas comment on dit...

– J'en étais sûr. Tu as une belle voix grave...

– Mais tu crois qu'on peut chanter le blues en étant blonde et pâlotte comme moi?

Il rit. Leurs épaules se touchent.

– Tu entends? Maintenant c'est Mahalia Jackson. Il n'y a pas que les géantes noires qui chantent comme ça. Ça s'apprend.

– À Paris, tu crois que...?

– Mais bien sûr, la semaine prochaine je t'apporterai l'adresse d'un prof de chant.

– Je ne sais pas si je...

– Tu devrais essayer au moins, Marine, je t'assure. Avec ta voix et la tristesse qu'il y a en toi, tu n'as pas idée de ce que tu pourrais chanter!

Il a parlé avec vivacité, en serrant son bras. Il aurait voulu lui parler du plaisir qu'elle aurait à chanter, à laisser couler sa voix, et du plaisir que les autres auraient, qu'il aurait, à l'écouter, à boire sa voix, mais il s'est tu. Elle se dégage. Elle est émue. Elle pense qu'il ne la connaît même pas et qu'il lui parle tout à coup comme s'il croyait en elle. Elle se dit: «Attention, attention, ne rêve pas» et à lui, d'une voix dure, tandis que le film commence:

– Qu'est-ce que tu en sais, toi, de ma tristesse?

Il est un peu blessé.

Sur l'écran, Gelsomina est vendue pour un plat de macaronis. Elle quitte sa famille et part avec Zampano.

Il Matto, le fou, dit : « Ce caillou sert sûrement à quelque chose. S'il est inutile, tout est inutile, même les étoiles. Et toi aussi, tu sers à quelque chose avec ta tête d'artichaut. »

Et Marine pense : « C'est idiot. Il y a des tas de gens comme moi qui ne servent à rien, qu'à embêter les autres... des poids morts. »

Tout à coup, Mathieu l'entend dire, avec une toute petite voix : « Ce film me fait toujours pleurer. » Il prend sa main entre les siennes et la garde jusqu'à la fin.

La salle se vide et les deux jeunes gens restent à leur place.

– C'est affreux, je ne supporte pas d'imaginer qu'on puisse faire du mal à quelqu'un d'innocent, d'aussi innocent que... Je ne le supporte pas. J'ai envie de crier.

– Mais Zampano pleure à la fin...

– Oh tu parles ! c'est bien la peine. Je les tuerais, les types comme lui ! Je ne comprends pas ça, je ne comprends pas.

Elle se tait, puis très bas, avec cette voix sourde qui l'émeut :

– Le monde n'a aucun sens.

Il prend ses poings fermés dans ses mains, les serre contre sa poitrine et murmure :

– Justement, c'est ça qui est bien. Si le monde n'a pas de sens, tu peux lui donner celui que tu veux...

Elle hausse les épaules mais elle sourit.

– Monsieur est un optimiste...

– Madame devrait chanter sa colère...

Ils sortent.

– Tu sais, ma grand-mère trouve ton foulard trop chic. Elle dit que je ne devrais pas le porter tous les jours, parce que moi, je le mets même pour aller chercher le courrier dans la boîte aux lettres !

Il sourit.

– Et qu'a-t-elle dit de ce bleu lavande ?

– Elle pense que tu as beaucoup de goût.

– Qu'est-ce qu'il y a ?

– Rien. J'ai envie de pleurer, excuse-moi.

– Pourquoi ?

– Parce que... c'est la première fois depuis... deux ans qu'un... qu'un garçon me fait un cadeau. Et encore, avant, on m'offrait un Coca ou une carte postale ! (Elle rit, au bord des larmes.) Ce n'est pas l'importance de ton cadeau qui compte, tu t'en doutes, j'espère... c'est que tu... tu me l'aies fait...

12

Mercredi 2 avril

– Il a eu une idée géniale, monsieur Piot, de passer *Crin-Blanc* la veille des vacances de Pâques.

– Oui, et de faire un prix de groupe pour le centre aéré.

– Ah! il a fait ça?

– C'est miraculeux d'avoir réussi à se retrouver au milieu d'un million d'enfants, non?

– C'est que j'ai lutté pour garder nos places, qu'est-ce que tu crois? J'ai boxé au moins une demi-douzaine de lardons.

– Non?

– J'avais peur d'avoir fait ça pour rien. J'ai cru que tu ne viendrais pas.

– J'ai hésité. Mais tu as dit que c'était le seul film que tu avais vu lorsque tu étais petit, alors je n'ai pas voulu...

– Me gâcher la séance?

– C'est ça.

– Merci. Tu veux que je te raconte comment je l'ai vu, ce film? Après tu me diras pourquoi tu as failli ne pas venir. D'accord?

– D'accord.

– Tiens, avant que j'oublie, voilà ma cassette de piano mélangé et l'adresse du prof de chant.

– Merci, Mathieu.

Leurs deux têtes se touchent presque. Dans le brouhaha indescriptible des enfants passant par-dessus les fauteuils, se bourrant de coups de poing, s'appelant d'un bout à l'autre de la salle, ils ont fait leur bulle de silence.

Mathieu raconte l'Afrique. La nuit africaine, vibrante de tous les cris animaux de la brousse. Le petit garçon qui marche tout seul dans les lucioles jusqu'au village qui résonne de rires.

Le tam-tam qui bat. Le son qui monte jusqu'en haut des arbres noirs. Les danses au village. Les corps qui apparaissent et disparaissent autour du feu. Une jambe, une main, luisantes de sueur, une bouche grande ouverte pour le rire.

Et hop! tout est happé par la nuit. Autour, indistincte, la foule des villageois. Les enfants somnolents qui laissent glisser leur pagne de nuit autour de leur torse. Les très jeunes filles qui remontent, d'un coup de reins, le petit frère qu'elles portent sur le dos. Tout un monde paisible. Des femmes qui allaitent leur bébé, assises par terre, les jambes bien étendues au sol. La calebasse d'eau au goût de terre qui passe de l'un à l'autre. La danse qui reprend, ou est-ce parce qu'il vient de se réveiller en sursaut qu'il entend de nouveau le tam-tam? Les mains claquent, la poussière s'élève.

Et soudain, un soir, voici un Père blanc qui arrive avec son projecteur, son groupe électrogène, et le cinéma! Tandis que Crin-Blanc galope sur le drap tendu entre deux cases, les petits Africains ouvrent des yeux ronds et se serrent les uns contre les autres. Les femmes crient «Hi!» et les hommes rient alors qu'il n'y a rien de drôle. Le petit Mathieu est venu avec sa maman.

Il aimerait bien, quand il repense à cette scène, revoir sa mère, fluette et pâle au milieu des Africains, mais non, ce n'était pas cela qu'il voyait. Il en a quelquefois parlé avec ses parents, depuis, et ils en sont arrivés à la même conclusion que lui : enfant, il ne remarquait pas les différences de couleur de peau. Il se demande s'il en est de même pour tous les enfants. Son père était agronome, sa mère, infirmière. Il se souvient seulement des chemisiers clairs de sa mère. Elle lui avait expliqué le film, parce qu'il n'y avait pas le son. Il n'avait pas tout compris, mais il avait adoré le cheval blanc. Sur le chemin du retour, il avait beaucoup pleuré. Sa mère avait beau lui dire que Crin-Blanc traversait la mer pour atteindre un pays où il n'y avait pas de méchants, il était quand même submergé de tristesse.

Après cette séance, il avait souvent rêvé qu'il bondissait sur le dos de l'étalon blanc, qu'il fuyait, les bras autour de son encolure, les joues cinglées par sa crinière. Au cours des jours et des années difficiles qui suivirent de si peu cette soirée,

Crin-Blanc l'avait souvent enlevé au-dessus de la réalité.

– Tu vois, Marine, c'était mon avant, à moi, dit-il, tandis que le film commence.

13

Le film est terminé, les lumières se sont allumées. Il dit, déçu :

– Je n'ai pas retrouvé grand-chose. Au Congo, c'était muet, tu comprends... Et toi, tu as aimé ?

Elle ne dit rien.

Tandis qu'il cherchait à retrouver son enfance africaine, elle était submergée par un passé beaucoup plus proche, mais enfoui si loin, si profond.

Prince... Elle n'avait pas pensé à lui ainsi depuis qu'ils étaient partis tous les trois en voiture, pour ne jamais revenir. Son cheval. Resté là-bas. Pour la première fois, elle a pensé qu'elle lui manquait peut-être. Sa grand-mère lui a proposé de retourner en Camargue. Non ! Non, elle n'a pas voulu.

Elle ne voulait même pas qu'elle lui en parle. Ni de Prince, ni du reste, ni de rien!

Pourtant, elle n'a pas fui lorsque Mère-grand lui a lu la lettre de Pierre et de José, les amis de ses parents qui gardent Prince dans leur mas: «Marine, tu nous manques, fais-nous plaisir, viens sentir l'odeur de la mer aux équinoxes et écouter le bruit japonais que font les roseaux dans les marais.» Elle a simplement crié: «Je m'en fous de leurs roseaux, japonais ou pas!»

Mais aujourd'hui, tous les bruits de la salle ont été gommés. Ne demeuraient que le rythme du galop sur la plage, le souvenir de l'eau qui jaillit sous les sabots et mouille le dos du cavalier, l'allégresse du cheval jouant avec la vague qui vient et repart... Toutes ces sensations, ces images, lui sont revenues de façon si aiguë qu'elle en perdait le souffle. La première goutte froide et salée reçue au visage, le grand cœur qu'elle sentait battre sous elle, le souffle, les oreilles de Prince qui frémissaient tandis qu'il allongeait l'encolure et s'enlevait. Elle croyait entendre son hennissement comme un rire de joie. Et comme le galop résonne sur le sable mouillé! «Jusqu'au fond de la terre», avait-elle dit à son père. Et il avait ri. Et ils avaient joué à faire fuir les mouettes sur la plage déserte du matin.

Elle revoit son père, son dos toujours si droit, trottant, loin devant, sur Cachou le noir. Elle ne doit pas penser à tout cela. Pas penser. Ni à son père dressé sur ses étriers, en Indien sur la crête des dunes, ni à sa mère qui les attend dans un creux doré de soleil, avec son carton à croquis, emmitouflée, l'hiver contre le froid, l'été pour protéger sa peau si blanche...

Elle ne peut pas parler à Mathieu. Lui cherche en vain à déchiffrer son silence. Marine est loin, il le sent. Le visage dans les mains, elle cherche à revenir dans le présent, mais aujourd'hui, à cause de Crin-Blanc, les souvenirs refusent de lui obéir.

«Ô Prince, mon beau cheval, Mère-grand dit que tu m'attends, mais comment pourrais-je? Comment?»

La jeune fille croit sentir le souffle chaud des naseaux de son cheval au creux de sa main, quand elle lui donnait un sucre à la halte. Le baiser de Prince. Elle retient sa respiration. Quelle idée elle a eue de venir voir ce film! Elle se dit:

«C'était la dernière des choses à faire, j'aurais pu y penser.» Il y a un mois encore, elle savait mieux se protéger.

Où sont-ils, ces crins blancs accrochés aux fils de fer barbelés le jour où Prince s'était blessé, qu'elle avait conservés, attachés avec un petit ruban rouge? Ils sont dans les caisses que Mère-grand a ramenées du Midi, sûrement, et qu'elle, Marine, refuse d'ouvrir, depuis deux ans. «À quoi bon? À quoi bon?» répète-t-elle chaque fois que sa grand-mère lui dit: «Tu ne veux pas que nous mettions un peu d'ordre?» Quel ordre? Sa vie est une ville après un tremblement de terre. Il n'y a rien à faire, qu'à tout raser au bulldozer. Non, elle ne veut pas qu'on ouvre les malles. Non. Elle dit toujours non, mais Mère-grand ne perd jamais patience.

En ce moment, elle aimerait toucher le petit bouquet de crins, les entortiller autour de son doigt. Peut-être qu'il y resterait un peu de l'odeur de Prince...

14

Autour d'eux, les monitrices, à force de «Groupez-vous devant!», de «Johan! Où tu vas?», de «Attendez ceux qui sont dans les toilettes!», de «Et Fatima, qu'est-ce qu'elle fabrique encore?» tentent de réunir leur troupeau qui piaffe et hennit comme en Camargue.

– Marine?

– Oui?

Il faut qu'elle trouve quelque chose à lui dire. Quelque chose de neutre. Ne pas parler de Prince, ni de la plage. Surtout pas... Elle ne dit rien de neutre. Elle prononce des mots qu'elle n'avait pas prévus.

– J'ai pleuré toute la semaine. Je n'aurais pas dû venir. Il faut que je te parle, Mathieu.

– Parle-moi.

– Non, pas ici. Je ne sais pas où. Ce que j'ai à te dire est trop... grave, tu comprends ?

– Marine, moi aussi, je dois t'apprendre quelque chose.

– Quelque chose ?

– Quelque chose que je t'ai caché. Ce n'est un secret pour personne, ce n'est rien de répréhensible, rassure-toi, mais j'aurais dû t'en parler dès le premier jour et je ne l'ai pas fait.

– C'est très grave ?

– C'est très important.

Il a passé son bras autour de ses épaules.

– Tu es bien quand même ?

Elle dit oui, dans un souffle. Mais elle n'est pas vraiment bien. Mathieu lui a menti ? Ce n'est un secret pour personne ? Qu'est-ce que ça veut dire ? Et s'il était marié ? À vingt-trois ans, on peut être marié ? Oui, bien sûr... Mais alors... Non, il est trop droit... Non, c'est quelque chose d'autre...

– Veux-tu venir chez moi demain ? Ne crains rien, je ne suis pas le grand méchant loup...

– Si tu savais comme je m'en fiche du grand méchant loup, c'est pas le problème !

Elle se mord les lèvres. S'il pouvait la croquer, l'engloutir d'un seul coup. Un grand jaillissement de vie et de mort, et puis plus rien... Mais ça ne sera pas aussi facile. Elle devra se détourner de lui, volontairement. Quand elle aura parlé...

– Si tu savais, Mathieu...

– Ne t'inquiète pas, tout peut être dit. Moi aussi, j'ai l'impression que, quand je t'aurai parlé, le ciel nous tombera sur la tête. Mais finalement, rien n'est jamais aussi terrible qu'on le croit...

Il prend sa main et la serre, tandis que la vague des enfants s'écoule.

– Peut-être retournerons-nous au cinéma Lux en amis ?

– Pourquoi ? Nous sommes autre chose que des amis ?

Sa voix est rauque, pleine de révolte. Elle est toujours sur le point de laisser échapper sa douleur. Parler lui est difficile. Elle se lève.

– À quelle heure demain ?

– Quand tu veux. Dix-sept heures, ça te va ? Je te ferai un thé chinois. 37, rue Pasteur. Tu vois où c'est? C'est tout près. Tu sonnes en bas et je t'ouvre. Mon nom, c'est Tournier. J'habite au deuxième, à droite. Tu sais... peut-être qu'on exagère...

– On exagère quoi?

– La gravité de la situation.

Et il rit.

Oui, elle aimerait bien... Mais inutile d'y songer. Elle ne doit pas croire aux miracles. Elle a eu deux ans pour bien s'enfoncer ça dans la tête. Pas de miracle. Plutôt crever que croire au miracle. La situation n'est pas grave du tout, monsieur Mathieu Tournier, elle est désespérée, tout simplement. Demain à dix-sept heures, le rideau tombera. «Finita la commedia», comme dit sa grand-mère. On n'en parlera plus.

Quelque chose se déchire en elle. Elle serre les dents, tord sa bouche en un sourire ironique et pense: «Voilà, c'est ça: mon cœur se brise. Ça recommence. Je croyais qu'il était déjà en mille miettes et définitivement, mais non, ça n'arrête pas de se briser ces machins-là. Et ça peut durer combien de temps encore? Je me le demande. En tout cas, c'est horriblement douloureux.»

Debout dans l'allée, ils se serrent très fort l'un contre l'autre, sans s'embrasser. Ils se séparent en entendant le pas de monsieur Piot.

Mathieu chuchote à l'oreille de Marine :

– Tu sais ce qu'il nous passe monsieur Piot, mercredi prochain ?

– Non.

– *L'Éternel Retour.*

Elle n'a rien dit. Sa gorge est restée serrée. De retour chez elle, elle a glissé la cassette de Mathieu dans le lecteur, mais elle n'a pas pu appuyer sur le bouton. Elle est restée dans le silence. Elle n'a rien pu manger. Elle a froissé entre ses doigts le petit papier qu'il lui a donné. Elle ne l'a pas jeté. Elle a posé la petite boulette sur le rebord du chapeau du petit Mexicain en terre cuite que sa grand-mère lui a offert. À deux heures du matin elle faisait encore les cent pas. De sa petite cuisine au salon, du salon à la chambre. Impossible de dormir. Chaque fois qu'elle passait devant Pschitt, il poussait un petit gémissement.

– Dors, Pschitt, ne t'inquiète pas.

15

*J*eudi 3 avril

Ce matin, pendant deux heures, il s'est battu avec son piano, c'était catastrophique, sauf à la fin, quand il s'est laissé aller à jouer la petite mélodie qu'il a composée cette nuit dans son lit. Finalement, ce n'est pas aussi nunuche qu'il le craignait. «L'amour ne rend pas toujours idiot», a-t-il pensé en rejouant dix fois sa *Mélodie marine* pour ne pas l'oublier.

Tout l'après-midi, il a été agité. Il commençait une chose, la laissait en plan, déplaçait un objet, sortait les gâteaux, les remettait à leur place, mettait un disque et ne l'écoutait pas, ouvrait le piano, jouait trois notes et se levait brusquement pour vérifier s'il n'y avait rien qui traînait sur les fauteuils. Pollux, étonné, était toujours dans ses jambes.

– Sois calme, Pollux, sois calme, nous allons avoir de la visite. Tu vas voir comme elle est belle. Si tu grondes ne serait-ce qu'une fois, je ne te parle plus. Ça, tu peux en être sûr. Je ne te parle plus. C'est compris?

Depuis qu'il a entendu sonner dix-sept heures à la pendule qui avance de quatre minutes, il est là, dans le couloir, incapable de faire autre chose que d'attendre. Les secondes marchent à pas de fourmi.

La jeune fille et sa grand-mère passent devant le cinéma Lux, elles tournent dans la rue Pasteur. Marine a dit qu'elle allait chez un pianiste qui lui donnerait peut-être des leçons. Mère-grand, contrairement à ses habitudes, a fait très peu de commentaires. Elle a seulement dit: «Oh! Marine, je suis si heureuse!»

Ça y est, elle a sonné à la lourde porte du bas. Mathieu avait déjà le doigt sur le bouton. Il dit dans l'interphone : «C'est toi, Marine ?», elle n'a pas répondu, mais il sait que c'est elle. Il entend ses pas dans l'escalier. Comme elle avance lentement ! S'il l'avait attendue en surveillant la rue du balcon, il l'aurait vue arriver, son foulard bleu lavande autour du cou, tenant le bras d'une petite dame en tailleur rouge sombre. Il aurait vu la petite dame pénétrer dans l'immeuble avec Marine puis ressortir seule et rester un moment, immobile sur le trottoir, à fixer la porte qui se refermait. Et puis enfin, il l'aurait vue lever les yeux, envoyer une sorte de baiser avec sa main vers les étages, puis secouer sa petite tête aux cheveux blancs très courts et repartir en trottinant.

Il n'a rien vu de tout cela, il a déjà ouvert la porte.

– Marine ?

– Mathieu !

Elle est là, dans le couloir. Son parfum, sa voix. Pollux est sorti. Il tourne autour d'elle avec de petits jappements.

– Il doit sentir que j'ai un chien.

Elle s'agenouille et caresse Pollux d'une manière très particulière, avec les deux mains, d'abord de la tête à la queue, puis le long des pattes.

– Il ne ressemble pas du tout à Pschitt, sauf la taille. Pschitt a le poil tout ras, et vous, Pollux, vous êtes doux et bouclé comme un mouton. Oh oui, vous êtes un bon chien!

Mathieu lui prend la main. Toutes les phrases intelligentes qu'il avait préparées pour l'éblouir, il les a oubliées. La voix de Marine, plus haute, plus libre qu'au cinéma, lui paraît presque enfantine. Il décèle toujours en elle, sous les exclamations joyeuses, cette appréhension qui jamais ne disparaît, mais aussi une détermination qu'il ne soupçonnait pas.

Marine, après une nuit sans sommeil, est presque calme. Elle est décidée à parler, à écouter ce que Mathieu a à dire et à vivre entièrement, jusqu'au bout, ce qui lui sera possible de vivre. Ça dépendra uniquement de Mathieu, a-t-elle décidé. «Qu'est- ce que je risque? Si je lui plais malgré tout, un peu, pour une fois, pour dix fois, je ne lui demanderai rien d'autre que d'être sincère. Mère-grand a raison. Je ne dois pas gâcher ce que j'ai, mais, au contraire, le vivre comme un cadeau inespéré. Mathieu est mon cadeau. Je n'ai rien à perdre.»

– Viens. Tu as vu mon premier ami, Pollux, maintenant je vais te présenter mon deuxième ami.

Il a senti qu'elle se figeait. Sa main dans la sienne s'est raidie puis est devenue inerte. Il a déjà senti cela un jour, quand il a ramassé sur le rebord de la fenêtre un oiseau qui s'était fracassé contre la vitre. Un sursaut de tout le petit corps, et puis plus rien. Mais comme elle sait se maîtriser!

Oui elle sait se maîtriser, mais ses pensées, dans sa tête, vont à une allure infernale : «Mais comment ai-je pu être bête au point de ne pas penser à ça! Un ami. Il a un ami. C'est ça qui n'est un secret pour personne et qu'il n'a pas osé me dire. Voilà pourquoi il a toujours été si... lointain, même quand les lumières s'éteignaient. Bien sûr. Un ami. C'est évident, j'aurais dû m'en douter. Il est donc comme Pierre et José, charmant, sensible, artiste, mais il ne m'aimera jamais comme je...»

Renoncer à ce qu'elle avait imaginé, à ce pour quoi elle s'était préparée, cette fête, cette joie du corps, renoncer à ce qu'elle était prête à donner, à recevoir, tuer son désir en plein vol, retourner au désert est une telle douleur qu'elle en vacille. Mais elle se reprend : « Tant mieux, après tout, c'est peut-être une chance pour moi... Une chance de ne pas le perdre. S'il n'a pas besoin de femme, il me gardera pour amie. C'est affreux, et en même temps je suis presque soulagée. Tout sera plus simple. Si je ne lui plais pas, au moins ce ne sera pas à cause de... »

Il la fait entrer au salon. Il s'approche du piano ouvert et, sans lâcher sa main, il frôle les touches.

– Nous vivons à trois ici : Pollux, mon chien ; Castor, mon piano ; et moi.

C'était donc cela, son ami : un piano ! Elle rit. Son cœur bat si fort ! Elle ne se sent plus très solide sur ses jambes. Elle s'appuie contre le piano, le menton dans les mains, pour essayer de lui dissimuler la rougeur de ses joues. Le soulagement, le renoncement qu'elle croyait éprouver il y a trois secondes ont disparu sans laisser de trace. De nouveau, elle est dans cet état de tension, d'angoisse et d'excitation, écartelée entre l'attente du pire, qui va certainement arriver, et un fol espoir de bonheur. Elle est un champ de bataille où s'affrontent désir de vivre et raison. Elle voudrait dire : « Stop ! Je veux retrouver mon calme. » Mais à qui le dire ?

Mathieu joue les premières mesures de *Georgia on my mind*, de Ray Charles. Elle fredonne.

– Tu connais ce vieux machin ?

– Oui, ma mère...

Elle se tait. Elle sait qu'il a compris. Elle est déjà si bouleversée qu'il ne faut pas qu'elle pense à sa mère, non. D'ailleurs il joue autre chose, un air sautillant à la Joplin. *Cascades* ! l'air qu'ils ont écouté au cinéma, et puis maintenant *La Strada,* de Nino Rota. Elle sent le piano vibrer contre elle. Elle est bien.

– C'est bien chez toi.

– Tu ne trouves pas que c'est minuscule ?

– Non. (Elle reste un moment silencieuse. Il aime et redoute ses silences.) Je trouve que c'est... paisible.

– Tu n'es vraiment pas comme les autres, Marine. C'est ce qui m'attire en toi... malheureusement.

Elle ouvre la bouche pour parler, interrogative, mais il poursuit :

– Quand une femme vient ici, elle dit tout de suite : «Mon Dieu! comme c'est petit!» Ça ne rate pas.

De nouveau, la voilà tendue. Sa voix est sourde :

– Beaucoup de femmes viennent ici?

Il sourit.

– Non, pas beaucoup, ma sœur avec ses copines de temps en temps... Je te les ferai connaître si tu veux. Enfin... si tu veux encore, après...

Il a l'air gêné, triste. Il secoue la tête et change de ton :

– Mais je te laisse debout, là, comme un malpoli! Asseyez-vous donc, belle dame, et je m'en vais vous chercher à boire de ce pas. Que voulez-vous, princesse, un thé de l'empereur Ming ou un cocktail de fruits de la passion avec mon cœur *in the rocks*, ou un sirop de pomme d'amour, ou, si vous êtes cruelle, le sang d'un taureau mort dans l'après-midi? J'ai même un liquide que les sauvages des Amériques appellent «Coca-Cola», si vous avez la nostalgie, princesse...

Elle rit.

– J'aime bien le thé. Tu fais le clown parce que tu es anxieux.

Comment a-t-elle osé dire ça ? Elle n'a même pas réfléchi, c'est venu comme ça...

– Oui, tu as raison, a-t-il dit en partant vers la cuisine.

Elle entend des bruits de tasses qui se heurtent. Il utilise un allume-gaz. Comme elle. Elle est attentive au moindre bruit. Elle caresse le cuir du canapé bas sur lequel elle est assise. Elle enlève sa chaussure pour tâter du pied le tapis. Il revient, portant un plateau. Elle a juste le temps de remettre sa chaussure. Il n'a rien remarqué. Il s'assied près d'elle, la sert, se sert, lui tend une assiette de petits gâteaux. Ils sont gauches tous les deux.

– Tu veux un gâteau ?

– Oh ! excuse-moi ! Je suis tellement maladroite !

En tendant la main vers l'assiette, elle a fait tomber tous les gâteaux secs. Elle les ramasse sur le tapis, à tâtons. Lui, un peu amusé, la retient.

– Laisse ça, tu n'es pas venue chez moi pour faire la cueillette des petits sablés ! Pollux va s'en charger, ne t'inquiète pas !

Elle se cale au fond du canapé, confuse. Le silence s'installe. Elle ne pense qu'à une chose : lui dire la vérité, comme on se jette à l'eau ; mais, chaque fois qu'elle croit qu'elle va parler, elle ne peut pas. Comme quand elle s'est jetée pour la première fois du haut du grand rocher, dans le Gardon. Elle a hésité trois jours de suite. Et quand elle s'est lancée, c'était si facile qu'elle s'est demandé pourquoi elle avait eu si peur.

– Marine, la chose que je dois te dire... non, les deux choses... sont difficiles à dire. Enfin... l'une des deux me remplit de joie, mais, à cause de la seconde, elle me désespère. Enfin... je veux dire que...

– Commence par la plus difficile si tu veux, je ferai pareil, et après on verra.

– Oui, on verra, comme tu dis...

– Quel dommage d'avoir à nous dire des choses graves alors que...

– Que quoi ?

– Alors qu'il fait si doux, que j'ai envie de légèreté, de rires. Au lieu de parler, j'aimerais qu'on s'embrasse et puis c'est tout !

Sa voix s'étrangle. Lui, ému, plaisante :

– On s'embrasse d'abord et on parle ensuite, ou l'inverse?

Elle s'écarte de lui.

– On parle d'abord. Au cinéma, le baiser, c'est à la fin...

– C'est que j'ai peur de la fin...

Elle dit tout bas :

– Moi aussi.

Et elle pense : « Le paradis, c'était le cinéma Lux, troisième rang à partir du fond, septième fauteuil. On est toujours chassé du paradis. »

– Marine, dès le début, au Lux, je t'ai beaucoup... enfin, je t'ai énormément... Enfin, tu comprends, quoi.

– Je comprends un peu...

Ils rient.

– J'ai aimé ta voix dès le premier mot, ce que tu dis, tout ce que je peux savoir de toi, tout... J'aime aussi que tu te moques de ma maladresse. J'adore ton humour.

– Le tien est tellement plus léger! C'est drôle, j'ai réalisé cette nuit que seul quelqu'un qui a de l'humour peut vraiment comprendre une personne qui... pratique l'humour comme une sorte de courage. Tu comprends ? Je crois que l'humour a quelque chose du chiendent. Quand tout paraît mort en nous, quand on nous a aspergés de napalm, si on a eu la chance de l'avoir au départ, il repousse... Mais autrefois, si tu avais vu comme j'étais gaie !

Elle a terminé sa phrase d'une voix si basse qu'il a deviné plus qu'entendu ses mots.

– Oui. M'est avis qu'il va nous falloir une sacrée dose d'humour pour aborder notre dernière séance...

– Oh non ! Ne dis pas ça ! Je ne peux pas imaginer...

Elle a presque crié.

– Ce que tu ne peux pas imaginer, sûrement, Marine, c'est que les seuls endroits où je peux aller seul, sans mon chien, sans personne pour me guider, sont le cinéma Lux et les quelques boutiques du quartier qui sont à deux pas de chez moi.

Il retire ses lunettes noires. Face à elle, il expose son visage nu, aux orbites creuses, parcouru aux tempes et aux pommettes par un réseau de cicatrices anciennes. Il reprend d'une voix sourde :

– Voilà, maintenant, tu sais. Moi, Mathieu Tournier, vingt-trois ans, pianiste, domicilié au trente-sept de la rue Pasteur, je suis aveugle.

Il a bien détaché les trois derniers mots. Le silence est total.

– Non, Mathieu, ce n'est pas vrai ! Non ! C'est trop... incroyable. Oh non ! Je n'y crois pas... Tu...

Marine met son visage dans ses mains.

– Ce n'est pas triste, tu sais. Enfin, pas triste pour moi. Je suis habitué. Je suis aveugle depuis l'âge de huit ans. Une grenade qui traînait au Congo. Les restes d'une guerre... Je me suis amusé à la faire rouler. J'ai des cicatrices sur la poitrine, une épaule amochée... Jusqu'à maintenant, j'étais heureux dans mon monde. J'avais la musique, les promenades avec Pollux, ma famille, des amis fidèles, parfois une nuit ou plusieurs avec une fille curieuse de savoir comment c'est avec un aveugle. Tu vois, je ne te cache rien. Mes journées étaient pleines. Je gagne assez bien ma vie. J'arrange des musiques pour les cassettes de littérature destinées aux aveugles, ce qui explique tout le matériel que tu vois là. Avec l'association nous avons lancé aussi une collection de cassettes sonores pour présenter les films. Voilà pourquoi nous nous sommes rencontrés au Lux. Ma vie était tranquille, mais depuis la panne de *West Side Story*, tout est sens dessus dessous. Je ne sais pas ce qui m'a pris. Comme j'ai compris que tu n'avais pas vu que j'étais aveugle, j'ai eu la tentation de te le cacher. Je n'ai jamais fait ça. Je ne sais vraiment pas ce qui m'a pris... enfin... Je ne suis plus un aveugle heureux, quoi!

Il rit.

— Depuis que je t'ai rencontrée, Pollux n'est plus un chien d'aveugle heureux non plus, parce que j'avais peur que tu me voies dans la rue. Je ne sortais qu'en tremblant. Ça ne pouvait pas continuer comme ça... Tu pleures, Marine?

Il met la main sur son épaule.

— Je ne pleure pas. Je ris.

— Tu...?

— C'est incroyable, ça! Incroyable! Non, je n'y crois pas, c'est impossible! Tu me jures que tu es aveugle?

— Mais enfin, Marine, pourquoi voudrais-tu que j'invente?

– Aussi, je me demandais quand, enfin, tu t'étonnerais de me voir au cinéma avec ces lunettes, et quand tu poserais une question sur la cicatrice que j'ai là.

Elle cherche sa main, saisit ses doigts et lui fait suivre la balafre profonde qui court de sa tempe à l'aile de son nez. Il ne dit rien. Il ne sait plus...

– Oh! Mathieu, moi aussi, je ne sortais plus de peur de te rencontrer. Une fois j'ai eu très peur, j'ai entendu ta voix au Salon de musique...

– Ah! C'était bien toi, alors, je ne m'étais pas trompé! Figure-toi que je me suis caché derrière mon copain Maurice quand j'ai senti ton parfum. Il a cru que je débloquais.

– J'ai couru comme une folle, Pschitt ne comprenait rien. Moi aussi, au Lux, j'ai eu envie de faire semblant. C'était si doux... si douloureux. À un moment, je me suis dit : je ne remettrai plus les pieds dans ce cinéma.

– Je sais. C'était la deuxième fois, non?

– Oui, la deuxième. Et la troisième aussi, et chaque fois. Mais je n'ai pas pu. Parce que... parce que tu es très bien, Mathieu, ça tu dois le savoir, et puis... on ne peut pas faire ça quand on est vivant.

– Faire quoi?

– Abandonner les autres sans explication. Ceux qui meurent le font, tu comprends? Comme mes parents. Ils ne pouvaient pas faire autrement. Mais moi, non, il fallait que j'aie le courage de te parler... Et finalement tout ce qui me paraissait si tragique est presque drôle ; tu avais raison, Mathieu.

– Presque drôle, tu trouves?

– Mathieu, je suis aveugle. Moi aussi. Tu n'as pas deviné? C'est arrivé il y a deux ans. Dans l'accident... avec mes parents... Je commence à peine à...

Mathieu est très pâle. Comme pétrifié. Son souffle est suspendu, il semble avoir des difficultés à comprendre les paroles de Marine.

Le téléphone, posé sur le piano, sonne. Ni lui ni elle ne font un mouvement pour répondre.

À la troisième sonnerie Mathieu dit d'une voix atone :

– C'est sûrement ma sœur. Qu'elle sonne !

Marine, comme si elle se réveillait, sursaute enfin.

– Non, Mathieu, c'est ma grand-mère, elle...

Il décroche. Il a retrouvé ses couleurs.

– Oui madame, j'ai kidnappé votre petite-fille. Non, je ne demande pas de rançon. Oui, je vais la dévorer toute crue, ne vous inquiétez pas...

Il rit. Marine est venue à ses côtés. Elle prend le combiné. Elle écoute un instant.

– Mais non, Mère-grand, ne t'inquiète pas.

Elle écoute encore et murmure avec une voix de fillette : « Oui, mon amoureux, je crois... » Elle écoute, répond enfin avec sa voix habituelle, la belle voix énergique qu'elle avait en arrivant : « Il me raccompagnera. Quand ? Je ne sais pas. Oui, oui, j'ai la clé. Bonne nuit, Mère-grand. »

Elle raccroche et elle pouffe de rire.

– Je lui ai dit bonne nuit alors qu'il est seulement six heures du soir !

Il l'écoute en secouant la tête et rit aussi. Il tend ses mains vers son visage. Elle a fait, en même temps que lui, le même geste. Ils s'effleurent, se découvrent du bout des doigts.

Du même auteur

Aux éditions Syros:

La Valise oubliée, «Mini Syros Romans», 1996, 2008

Écoute mon cœur, «Tempo+», 2005, 2013
  (Prix NRP 2006)

Les Rois de l'horizon, «Tempo+», 2002, 2011

Taourama et le lagon bleu, «Tempo», 2004, 2011

Chez d'autres éditeurs:

La Petite cinglée, Le Seuil Jeunesse, 2000

La Petite Pierre de Chine, Actes Sud Junior, 2004

Prométhée le révolté, Nathan, 2006

Chats, pitres et compagnie, Gulf Stream, 2007

Un amour sous les bombes, Oskar, 2008

La Pantoufle écossaise, Gallimard, 2009

Germaine Tillon, Oskar, 2010

Un chat de château, Gallimard, 2011

Pesticides, pizzas et petit bébé, Oskar, 2011

L'Ogre bouquiniste, Gallimard, 2012

Des diamants dans le foie gras, Oskar, 2013

L'auteur

«Je suis née en 1948 à Toulon. J'ai beaucoup lu car j'étais une enfant solitaire et silencieuse. Plus tard, j'ai pris la parole : je suis devenue professeur et clown, puis enfin j'ai pris la plume et aujourd'hui mes lecteurs ont de sept à cent sept ans.

Je suis fascinée par le pouvoir que détient chaque être, de rechercher, de créer, de vivre le bonheur. Et ce pouvoir est si fort chez ceux que la vie a blessés!»

Dans la collection
tempo

Dans la collection
tempo+

Loi n° 49-956 du 16 juillet 1949 sur les publications destinées
à la jeunesse, modifiée par la loi n° 2011-525 du 17 mai 2011.

Mise en pages : DV Arts Graphiques à La Rochelle.
N° d'éditeur : 10201836 – Dépôt légal : avril 2014
Achevé d'imprimer en avril 2014 par Jouve
(53000, Mayenne, France). N° d'impression : 2150672H